6 这是我的书 It's MY BOOK 6级：300字

上海来的客人

作者：程以克（Vicki Cheng）
配图：秦志宁（Zhining Chin）

北京语言大学出版社
BEIJING LANGUAGE AND CULTURE UNIVERSITY PRESS

PHOENIX TREE
PHOENIX TREE PUBLISHING INC.

识读 礼物 校服 生活
哭 像

句型 ……还……

字数 320字

èr líng yī liù nián wǔ yuè èr shí èr rì shàng hǎi xué shēng lái wǒ
2016年5月22日 上海学生来我
xiào fǎng wèn huò pǔ jīn sī xué qū xīn xīng xiǎo xué xiǎo jì
校访问 霍普金斯学区新星小学小记
zhě xiāo lì bào dào
者肖丽报道

wǔ yuè shí bā rì xīn xīng xiǎo xué yíng lai le
5月18日，新星小学迎来了
shí jǐ míng chuān zhe hóng sè xiào fú de xué shēng
十几名穿着红色校服的学生。

tā men shì lái zì zhōng guó shàng hǎi de xué
他们是来自中国上海的学
shēng dào wǒ men xīn xīng xiǎo xué fǎng wèn tóng xíng
生，到我们新星小学访问，同行
de hái yǒu liǎng míng zhōng guó lǎo shī
的还有两名中国老师。

zài xué xiào jǔ bàn de huān yíng dà huì shang liǎng
在学校举办的欢迎大会上，两
gè xué xiào de tóng xué jiāo huàn le lǐ wù shàng hǎi xué
个学校的同学交换了礼物。上海学
shēng chàng qi le tā men de xiào gē hái chuī qi le dòng
生唱起了他们的校歌，还吹起了动
tīng de dí zi tiào qi le yōu měi de zhōng guó wǔ
听的笛子，跳起了优美的中国舞。

shàng hǎi xué shēng
上海学生
cān guān le xīn xīng xiǎo
参观了新星小
xué de xiào yuán hé tú
学的校园和图
shū guǎn hé dà jiā
书馆，和大家
yì qǐ shàng zhōng wén
一起上中文
kè hé yīng wén kè
课和英文课。

měi guó xué shēng
美国学生
kàn dào zì jǐ néng yòng
看到自己能用
zhōng wén duì huà shí
中文对话，十
fēn gāo xìng shàng hǎi xué
分高兴；上海学
shēng kàn dào zì jǐ néng
生看到自己能
tīng dǒng yīng wén kè
听懂英文课，
yě hěn xīng fèn
也很兴奋。

wǎn shang shàng hǎi xué shēng zhù zài měi guó xué
晚上，上海学生住在美国学

shēng jiā li tā men shuō hé měi guó jiā tíng yì
生家里。他们说："和美国家庭一

qǐ shēng huó xiàng yì jiā rén yí yàng zhēn hǎo
起生活，像一家人一样，真好！"

liǎng guó de xué
两国的学
shēng chéng le hǎo péng
生成了好朋
you shàng hǎi xué shēng
友。上海学生
lí kāi de nà tiān bù
离开的那天，不
shǎo měi guó xué shēng kū le shuō zhè ge fǎng
少美国学生哭了，说：“这个访
wèn zài duō jǐ tiān jiù hǎo le shàng hǎi xué shēng
问再多几天就好了。”上海学生
yě shuō xī wàng nǐ men yǒu jī hui lái zhōng guó
也说：“希望你们有机会来中国
fǎng wèn
访问。”

zhè cì huó dòng gěi liǎng gè xué xiào de xué
这次活动给两个学校的学

shēng hé lǎo shī dài lai le hěn duō kuài lè
生和老师带来了很多快乐。

1 **2016年5月22日 上海学生来我校访问 霍普金斯学区新星小学小记者肖丽报道**

5月18日，新星小学迎来了十几名穿着红色校服的学生。

2 他们是来自中国上海的学生，到我们新星小学访问，同行的还有两名中国老师。

3 在学校举办的欢迎大会上，两个学校的同学交换了礼物。上海学生唱起了他们的校歌，还吹起了动听的笛子，跳起了优美的中国舞。

4 上海学生参观了新星小学的校园和图书馆，和大家一起上中文课和英文课。美国学生看到自己能用中文对话，十分高兴；上海学生看到自己能听懂英文课，也很兴奋。

5 晚上，上海学生住在美国学生家里。他们说："和美国家庭一起生活，像一家人一样，真好！"

6 两国的学生成了好朋友。上海学生离开的那天，不少美国学生哭了，说："这个访问再多几天就好了。"上海学生也说："希望你们有机会来中国访问。"

7 这次活动给两个学校的学生和老师带来了很多快乐。

1

2
EISENHOWER ELEMENTARY
A

3
WELCOME

4

5

6
Satisfaction

看图讲故事

7
海纳百川